D1299578

Directeur de collection : Lise Boëll
Direction artistique : Ipokamp
Adaptation : Valérie Videau
Éditorial : Céline Schmitt et Ophélie Doucet

BARBIE ainsi que les marques et les logos afférents appartiennent à Mattel, Inc.
et sont utilisés sous licence. © 2012 Mattel, Inc. Tous droits réservés.

Publication originale :
©Éditions Albin Michel, S.A., 2012
22, rue Huyghens, 75014 Paris
www.albin-michel.fr
ISBN 978-2-226-24099-6

Loi n°49-956 du 16 juillet 1949 sur les publications destinées à la jeunesse.

Achevé d'imprimer en France par Pollina - L60668a.
Dépôt légal : juin 2012.

Barbie™

et les Trois Mousquetaires

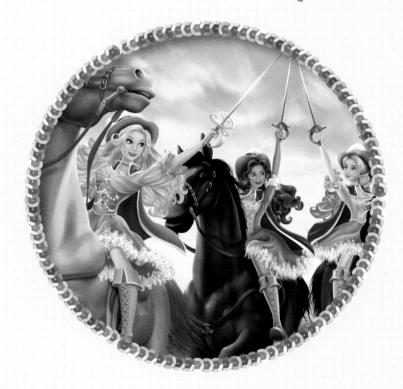

Albin Michel

Le monde de Corinne

Corinne

Cette jeune fille n'a qu'un rêve : devenir mousquetaire comme son papa !

Miette

L'adorable petit chat de Corinne joue les « mouschataires » !

Alexandre

Le courage, ce cheval n'en manque pas. Et il en faut pour suivre Corinne !

Viwéca, Aramina et Renée

Les amies de Corinne vont la guider dans sa nouvelle vie au château.

Hélène

Derrière cette grand-mère se cache une ancienne mousquetaire.

Le prince Louis

Dans quelque temps, le prince Louis deviendra roi. Et il est aimé de tous... enfin presque !

Monsieur de Tréville

Voici le chef des mousquetaires. Pas facile de le convaincre qu'une fille sait manier l'épée...

Philippe

Attention ! Ce cousin du roi prépare un bien mauvais coup.

Corinne vit à la campagne avec sa maman, son chat **Miette** et son cheval, **Alexandre**.

Elle adore les longues promenades dans la nature, et surtout la jeune fille a un rêve : partir à Paris pour devenir mousquetaire comme l'était son papa, le célèbre **d'Artagnan**.

– Prends cette lettre, ma chérie ! l'encourage sa maman. Tu la remettras à Monsieur de Tréville. C'est le capitaine des mousquetaires. Il connaissait ton papa et si tu as un souci, il t'aidera.

– Merci, maman ! **Tu seras fière de moi** ! Je te le promets. Au revoir !

Après avoir embrassé sa mère, Corinne monte sur le dos d'Alexandre et galope vers **Paris**.

Miette, son petit chat, fait aussi partie du voyage.

Que d'animation dans les rues de Paris et que c'est grand ! Heureusement, tout le monde connaît le château où se trouve Monsieur de Tréville.

Seulement, lorsque Corinne réussit à rencontrer le chef des mousquetaires, elle est un peu vexée par son accueil.

— Ainsi, Mademoiselle, vous **voulez devenir mousquetaire** ? lance-t-il, amusé. Protéger la famille royale demande un long apprentissage, vous savez, et je crois qu'une jeune fille n'est pas vraiment faite pour se battre à l'épée !

Au château, Corinne se laisse engager comme servante et fait vite la connaissance de trois autres jeunes filles, **Vivéca, Aramina et Renée**, qui ont le même rêve qu'elle : devenir mousquetaire du roi. Mais avant de manier l'épée, Corinne doit faire briller le sol du palais.

Après leurs travaux domestiques, les quatre amies suivent en secret des cours d'escrime avec **Hélène**, la cuisinière du château. La vieille dame est un excellent professeur, et grâce à elle, les apprenties mousquetaires savent rapidement diriger leur épée.

Et gare à ceux qui leur veulent du mal, comme Philippe et son affreux chien Brutus !

Corinne surveille de près ce Philippe, car elle a compris que cet homme n'avait qu'un souhait : devenir roi à la place de son cousin, le bon prince Louis. Et elle est sûre qu'il va tenter de le tuer lors du bal masqué !

Corinne a vu juste : au bal, tandis qu'elle danse au bras du prince Louis, elle reconnaît l'odieux Philippe malgré son masque. Puis, quand il s'approche dangereusement de Louis, elle comprend qu'il va saisir son épée… **Mais comment faire pour sauver le prince** sans gâcher la belle fête ni effrayer tous les invités qui dansent ?

Corinne fait aussitôt signe à ses amies qui se tenaient prêtes à intervenir. Aramina s'empare de son éventail, Vivéca agite son ruban comme un fouet, tandis que Renée brandit son arc et Corinne, son épée. Puis, ensemble, toutes parviennent à désarmer Philippe…

Le prince Louis est sain et sauf !

Jamais personne n'avait vu des jeunes filles se battre aussi habilement… même Monsieur de Tréville ! Pour **les récompenser de leur courage**, il propose alors au prince Louis de les engager pour assurer sa protection. C'est ainsi que le futur roi se retrouve accompagné de quatre vaillantes mousquetaires !

Corinne a réalisé son rêve ; sa maman peut donc
être fière de sa petite mousquetaire qui viendra
bientôt l'embrasser. Pour l'heure, elle doit partir
en mission avec ses amies, au nom du roi !

– **Une pour toutes, toutes pour une !**